Coblyn o Broblem!

Ifana Savill ✳ Gary Evans

Gomer

Bob bore, mae Coblyn yn codi'n gynnar.

Bob bore mae'n mynd yn syth i'r ardd i weld y coblynnod bach. Ar ôl cael gair â nhw, mae Coblyn yn barod am ei frecwast.

Bob bore mae'n edrych ymlaen at gael wy
wedi'i ferwi. Coblyn o wy mawr, brown, pert.

Mae Coblyn wedi cael wy wedi'i ferwi i frecwast
bob bore ers pan oedd yn goblyn bach.

Un bore, roedd Coblyn wedi codi'n gynnar, fel arfer, ac yn edrych ymlaen at ei wy. Ond . . .

6

. . . doedd dim wy ar ôl.
    'Wel y myn coblyn i!' meddai
Coblyn. 'Be' wna i? Mae'n rhaid
i mi gael wy i frecwast.'

Roedd digon o sudd oren a digon o greision ŷd a miwsli. Ond doedd dim wy. 'Dyma beth yw coblyn o broblem,' meddai wrth ei goblynnod bach.

Ond dyma Coblyn yn cael coblyn o syniad da.

'Dw i'n gwybod be' wna i. Fe af i draw
at Mrs Migl Magl. Fe ga i fenthyg wy
ganddi hi.'

A dyma Coblyn yn mynd,
yn fân ac yn fuan, draw
at ei ffrind.

Roedd Mrs Migl Magl wedi golchi'r
llestri brecwast yn barod. 'Bore da,
Coblyn bach,' meddai hi.
'Bore da, Mrs Migl Magl.'

'Ga i fenthyg wy, os gwelwch yn dda?' holodd Coblyn. 'Does dim un ar ôl gen i.'

'Dere mewn i'r gegin am eiliad,' meddai Mrs Migl Magl.

Ond doedd dim wy ar ôl yn y gegin.
'Mae'n flin gen i,' meddai Mrs Migl Magl.
'Wyt ti wedi gofyn i rywun arall? Beth am
holi Jac y Jwc?'

'Coblyn o syniad da,' meddai Coblyn. 'Af i draw nawr at Jac y Jwc.'

'Bore da, Jac y Jwc,' meddai Coblyn.
'Ga i fenthyg wy, os gweli di'n dda?'
'Wrth gwrs y cei di, Coblyn,' meddai
Jac y Jwc. 'Fe af i i ôl un i ti rŵan.'

'Wy, nid llwy!' meddai Coblyn
wrth i Jac y Jwc ddod 'nôl â llwy.
'Jacaraca! Mae'n ddrwg gen
i, Coblyn. Does gen i ddim wy.
Beth am holi Bili Bom Bom?'

Aeth Coblyn, yn fân ac yn fuan, draw at Bili Bom Bom. 'Bore da, Bili. Oes wy gen ti, os gweli di'n dda?'

'Wrth gwrs fod wy gen i, Coblyn,' meddai Bili, 'un arbennig iawn. Dere mewn i'r gweithdy.'

Ond wy estrys oedd gan Bili Bom Bom!
'Diolch,' meddai Coblyn, 'ond mae wy
estrys yn rhy fawr i mi. Fe af i draw i weld
Shoni Bric-a-moni.'

Ond yn siop Shoni dim ond wy deinosor oedd ar gael. 'Wy arbennig,' meddai. 'Wy brontosaurus!'

Ar ôl gweld wy Shoni roedd Coblyn wedi cyrraedd pen ei dennyn. Aeth i weld Sali Mali yn y caffi. 'O, Sali, mae gen i goblyn o broblem. Ga i fenthyg wy, os gweli di'n dda?'

'Mae'n ddrwg gen i, Coblyn bach,' meddai
Sali Mali. 'Dw i newydd ddefnyddio'r wy ola.
Dw i'n gwneud cacen.'

'O, diar, diar,' meddai Sali Mali wrth edrych ar y gymysgedd yn y bowlen. 'Ond, falle . . .'

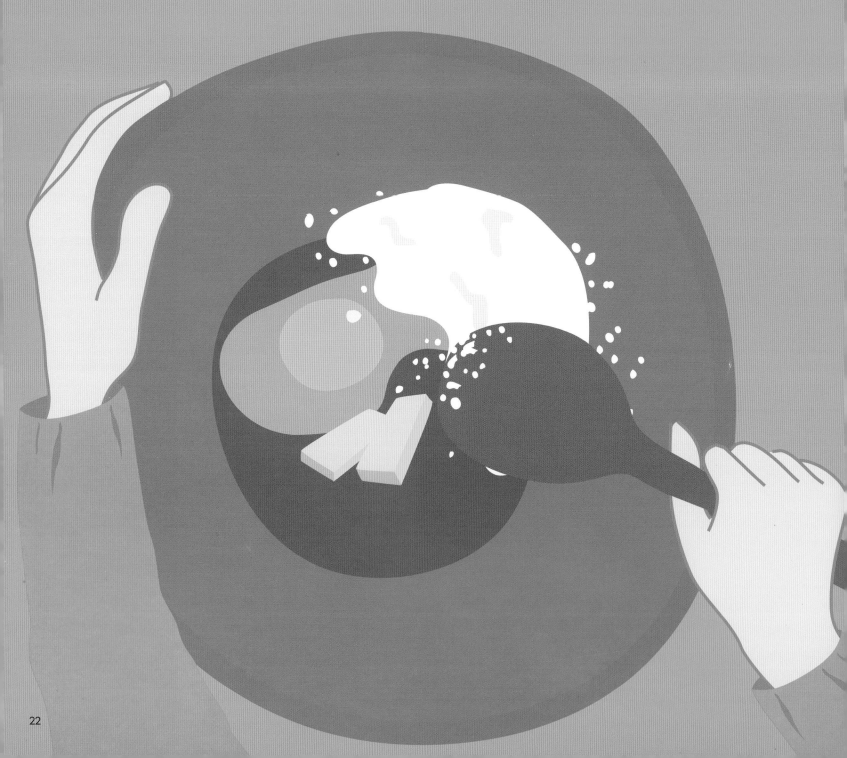

'Wyt ti wedi cael syniad, Sali Mali?'
gofynnodd Coblyn.
'Ydw,' meddai Sali.

'Dere gyda fi i weld Begw,' meddai
Sali Mali, gan dynnu Coblyn ar ei hôl.
'Fe fydd wy ganddi hi siŵr o fod.'

'Pwy yw Begw?' holodd Coblyn.

'Dyma Begw,' meddai Sali Mali.
'Mae hi newydd gyrraedd Pentre Bach,
hi a'i ffrindiau. Dyma eu cartref nhw.'

A dyna lle'r oedd yr wy mawr,
brown, perta welsoch chi erioed.

'Diolch, Begw,' meddai Coblyn.
'Clwc, clwc,' clwciodd Begw.

'Fe ga i wy wedi'i ferwi i frecwast wedi'r cyfan,' meddai Coblyn. 'Diolch, Sali.'
'Mae'n amser cinio cyn bo hir, Coblyn,' chwarddodd Sali Mali. 'Y caffi amdani!'

'Dyma ni,' meddai Sali Mali,
'wyau at ddant pawb!'

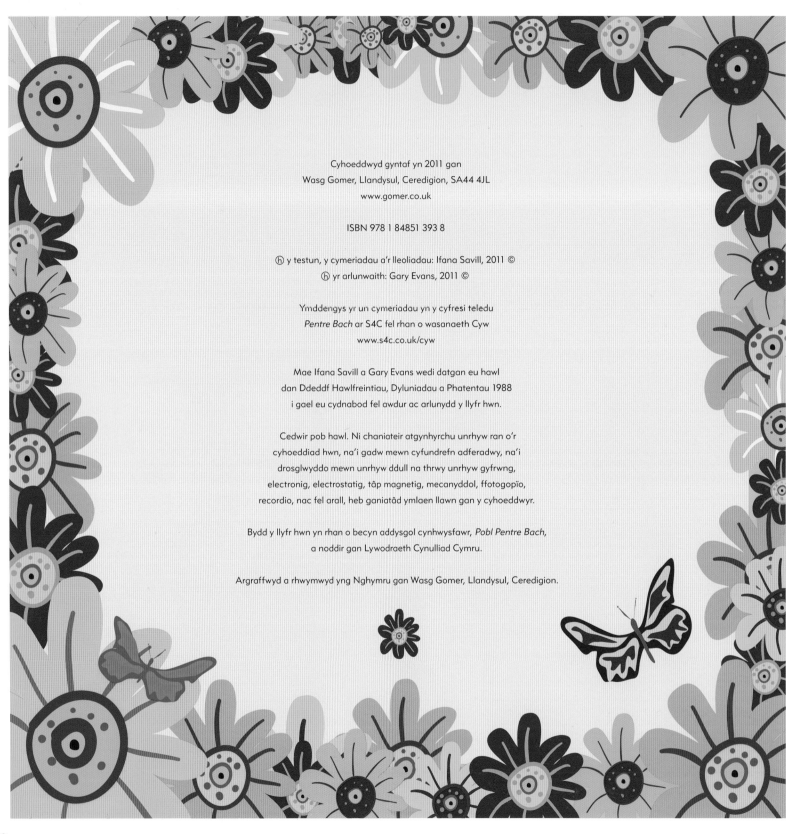

Cyhoeddwyd gyntaf yn 2011 gan
Wasg Gomer, Llandysul, Ceredigion, SA44 4JL
www.gomer.co.uk

ISBN 978 1 84851 393 8

Ymddengys yr un cymeriadau yn y cyfresi teledu
Pentre Bach ar S4C fel rhan o wasanaeth Cyw
www.s4c.co.uk/cyw

Bydd y llyfr hwn yn rhan o becyn addysgol cynhwysfawr, *Pobl Pentre Bach*,
a noddir gan Lywodraeth Cynulliad Cymru.

Argraffwyd a rhwymwyd yng Nghymru gan Wasg Gomer, Llandysul, Ceredigion.